Syniadau sle

**YSGOL
CARREG EMLYN**

Mari Lovgreen

Lluniau gan
Bethan Mai

Cyfres
HALIBALŴ

Cyhoeddwyd gan CAA Cymru, Prifysgol Aberystwyth, Plas Gogerddan, Aberystwyth SY23 3EB (www.aber.ac.uk/caa).

Ariennir gan Lywodraeth Cymru fel rhan o'i rhaglen gomisiynu adnoddau addysgu a dysgu Cymraeg a dwyieithog.

ISBN: 978-1-84521-705-1

Golygwyd gan Fflur Aneira Davies a Marian Beech Hughes
Dyluniwyd gan Richard Huw Pritchard
Argraffwyd gan Gomer

Cedwir pob hawl.

Cydnabyddiaethau

Diolch i Dr Carol James, Heulwen Hydref Jones, Marc Jones a Siw Jones am eu harweiniad gwerthfawr. Diolch hefyd i Lisa Morris (Ysgol Glantwymyn) ac Anwen Jervis (Ysgol Llanbrynmair) am dreialu'r deunydd.

Ceir gweithgareddau i gyd-fynd â chwe nofel Cyfres Halibalŵ ar wefan Hwb (addas i CA2; awdur: Siw Jones).

1
Wil a Dot

"Dwi'n dy gasáu di, Wil!"

"Dim hanner cymaint â dwi'n dy gasáu di, Dot!"

Fel hyn fyddai'r cefnder a'r gyfnither yn cyfarch ei gilydd bob bore cyn dal y bws i'r ysgol. Mae'r ddau'n ddeg oed, ac yn byw drws nesaf i'w gilydd ar ddwy fferm ymhell o bobman yng nghanol y wlad. Anaml iawn y byddech yn clywed y ddau'n bod yn garedig efo'i gilydd.

"Pam wyt ti'n drewi fel pen-ôl ci, Dot?"

"Pam mae dy wyneb di'n edrych fel

cinio dydd Sul wedi llwydo, Wil?"

Ydych chi'n gweld y darlun? Gan fod y ddau'n byw drws nesaf i'w gilydd ac yn perthyn, mae'n rhaid iddyn nhw dreulio cryn dipyn o amser efo'i gilydd. Mae'n rhaid iddyn nhw hefyd rannu'r gwaith o warchod Mali, chwaer fach Wil, sydd bron yn dair oed.

Does gan yr un o'r ddau lawer o amynedd efo Mali druan. Er ei bod hi'n edrych fel angel fach efo'i chyrls melyn perffaith, mae hi hefyd yn *gymaint* o boen. Mali sy'n mwynhau 'chwarae Sam Tân' (sef Wil a Dot yn smalio bod yn gathod yn sownd mewn coeden ac yn cael eu hachub gan 'Sam Mali Tân'). Doedden nhw ddim yn meindio ar y dechrau, ond aeth y gêm yn stêl yn eithaf sydyn gan fod Mali eisiau ei chwarae o leiaf 67 gwaith y diwrnod.

Problem arall sydd gan Wil a Dot efo Mali yw bod ganddi annwyd – drwy'r flwyddyn. Mae ei thrwyn bach fel tap, sy'n golygu bod llwybr o snot gwyrdd, cynnes (a drewllyd) yn ei dilyn i bobman.

Er bod tadau'r ddau'n frodyr, dydy Wil a Dot ddim yn debyg o gwbl. Gwallt du fel y nos sydd gan Dot, yn llyfn a syth. Mae sbectol drwchus ar ei thrwyn bob amser (hyd yn oed wrth gysgu neu nofio). Ei hoff liw yw melyn. Felly, mae'n trio gwisgo cymaint o'r lliw â phosib, o'i sanau i'w nicers (a'r goron blastig sy'n sownd ar ei phen ers ei pharti pen-blwydd yn saith oed). Mae hi'n dipyn talach na'i chefnder, ac yn denau fel postyn lamp.

Mae Wil, ar y llaw arall, yn eithaf crwn. Ddim yn rhy grwn i ffitio mewn car neu i reidio beic, ond digon crwn i allu rholio i lawr unrhyw allt fel pêl. Y rheswm dros hyn yn syml yw ei fod yn caru siocled, creision a chaws, ac yn casáu ymarfer corff. Dros ei drwyn smwt mae llwyth o frychni haul, ac ar ei ben mae cwmwl o wallt cyrliog, coch.

Er bod y ddau'n edrych yn hollol wahanol i'w gilydd, mae un peth mawr ganddyn nhw'n gyffredin. Mae'r ddau wrth eu boddau'n chwarae triciau ar bobl. Pobl o bob oed. Triciau o bob math.

Does neb yn saff rhag triciau Wil a Dot.

Bob bore ar y bws i'r ysgol mae'r ddau'n meddwl am y triciau mwyaf bendigedig a chreulon yn y byd. Mae ganddyn nhw lyfr i gofnodi'r holl syniadau slei. Llyfr sy'n orlawn o restrau, lluniau a diagramau fyddai neb arall yn eu deall.

Gallwn i ddisgrifio'r olygfa allan o ffenest y bws i chi, neu o ysgol fach Melin-y-grug ar waelod y bryn, ond dwi'n meddwl fy mod i'n iawn yn dweud y basai'n well gennych chi glywed mwy am driciau lloerig Wil a Dot. Gafaelwch yn dynn a daliwch eich gwynt! Dydy'r triciau ddim yn addas i rai heb asgwrn cefn go gadarn.

*   *   *

Syniadau slei

2
Parti Mali

Daeth yr amser i baratoi ar gyfer parti pen-blwydd Mali yn dair oed. Fel arfer, fyddai gan Wil na Dot ddim amynedd i helpu, ond eleni, roedden nhw wedi meddwl am dric afiach i wneud y parti'n gymaint mwy o hwyl iddyn nhw'u dau. Daeth y syniad yn sydyn i feddwl Wil wrth i'w fam holi'n dawel,

"Wil, wyt ti'n meddwl y gelli di a Dot helpu efo'r bwyd ar gyfer y parti?"

Rholiodd Wil ei lygaid i ddechrau gan feddwl cymaint gwell fyddai ganddo gael llonydd i chwarae ar ei gyfrifiadur. Ond cyn iddo agor ei geg i gwyno daeth y syniad am dric fel mellten o gwmwl.

"Dim problem o gwbl, Mam. Gad yr holl fwyd i ni – mae gen i gymaint o syniadau!"

"O diolch, diolch, diolch, fy nghariad bach annwyl i – ti werth y byd yn …"

"… grwn!" gwaeddodd Wil â gwen angylaidd ar ei wyneb.

Roedd Wil a Dot yn brysur yr holl ffordd i'r ysgol y bore hwnnw yn meddwl am y gwahanol fwydydd cyfoglyd y gallen nhw'u paratoi. Dyma i chi'r ryseitiau:

Sbageti bywiog blasus

Cynhwysion:

Llond powlen fawr o bryfed genwair

2 dun o domatos mewn sudd

250 ml o finegr

Caws wedi'i gratio

Dull:

1. Glanhewch y pridd oddi ar y pryfed genwair.

2. Gorchuddiwch y pryfed â'r tomatos.
3. Ychwanegwch y finegr.
4. Cymysgwch y cyfan yn dda.
5. Gweinwch ar blât a'u gorchuddio â'r caws wedi'i gratio.

Selsig bendigedig

Cynhwysion:

Llond bag siopa o faw defaid
Sgwariau o gaws
Darnau o binafal
Ffyn bach pren

Dull:

1. Tylinwch a rholiwch y baw defaid i edrych fel selsig bach.
2. Gosodwch y 'selsig' ar y ffyn pren a rhoi darn o gaws a phinafal bob ochr iddyn nhw.
3. Gweinwch ar blât mawr crand.

3
Cyrraedd adref

Roedd Dot wedi crio chwerthin ar y bws wrth greu'r ryseitiau creulon, ac roedd hi bron â thorri'i bol eisiau cyrraedd adref i ddechrau 'coginio'.

Rhedodd y ddau'n syth i'r caeau i chwilio am y cynhwysion hollbwysig.

"Mi wna i gasglu'r pridd, a gei di gasglu'r baw defaid a'r pryfed genwair," cyhoeddodd Dot wrth dorchi llewys ei siwmper ysgol.

"Ym, sut yn union mae hynny'n deg?" gofynnodd Wil, oedd wedi hen arfer â Dot yn meddwl mai hi oedd y bòs o hyd.

"Un ai hynny neu dwi'n mynd i ddeud wrth Anti Bethan dy fod ti'n bwriadu sbwylio parti pen-blwydd Mali."

Safodd Dot yn benderfynol â'i breichiau wedi'u plethu. Roedd yn gas gan Wil ei gyfnither weithiau. Dychmygodd sut fyddai'n teimlo i rwbio tail gwartheg dros ei hwyneb i gyd. Gwnaeth hynny iddo deimlo'n well, a phenderfynodd ei bod yn haws cytuno.

"Iawn, bòs," meddai'n bwdlyd.

Bu'r ddau wrthi am oriau yn casglu'r holl gynhwysion, nes bod llinell frown afiach dan eu hewinedd. Dim o dan eu hewinedd yr oedd yr unig faw i'w weld chwaith. A dweud y gwir, roedden nhw'n edrych fel petaen nhw wedi bod yn gwneud gymnasteg yn y mwd. Doedd hyn ddim yn rhan o'r cynllun.

"Be' ar wyneb y ddaear sy'n digwydd fan hyn?" sibrydodd Anti Bethan drwy'r ffenest wrth weld y ffasiwn olwg ar y ddau.

Roedd mam Wil yn ddynes eithaf od.

Doedd hi byth yn siarad yn normal. Yn
hytrach, roedd hi un ai'n sibrwd neu'n
sgrechian. I wneud pethau'n fwy od,
byddai'n dueddol o sibrwd pan oedd angen
sgrechian, a sgrechian pan oedd angen
sibrwd. Fel y tro hwnnw pan aeth hi i nôl
Wil o'r llyfrgell. Yn amlwg, roedd pawb yn
dawel gan eu bod nhw mewn llyfrgell, ond
ffrwydrodd mam Wil drwy'r drysau gan
sgrechian:

"LLE MAE FY MLODYN BACH
ANNWYL I? AMSER MYND ADRE,
WILI BILI BW BWWWWWW!"

Dydy hi ddim hanner call. Un peth da
am hyn yw ei bod hi'n hawdd taflu llwch
i'w llygaid (ddim yn llythrennol, basai
hynny'n gas).

"Peidiwch â phoeni, Mam, 'dan ni'n
gweithio ar broject Daearyddiaeth i'r
ysgol. 'Dan ni wedi gorffen rŵan, felly mi
ddown ni i'r tŷ i 'molchi, newid a pharatoi'r
bwyd!" gwenodd Wil ar ei fam nes bod
pob un o'i ddannedd yn dangos.

"O! Rydach chi'n blant mor dda,
dwi'n eich caru chi gymaint!" sibrydodd
mor dawel fel na chlywodd Wil na Dot
hi'n iawn. Yna diflannodd o'r ffenest i
fwrw ymlaen efo'r glanhau. Ei hoff hobi
oedd glanhau. Fyddech chi byth yn ei
gweld heb gadach, brwsh neu hwfyr yn
ei llaw (weithiau, yn rhyfeddol, y tri'r un
pryd).

4
Paratoi'r wledd

"Brysia, Dot, mae amser yn brin!"

Roedd y ddau wedi creu llefydd addas i baratoi eu triciau, ac un o'r rheiny oedd y gegin gudd yng ngwaelod yr ardd. Hen sied tad Wil oedd y gegin gudd ac roedd hi'n ddelfrydol i baratoi triciau o bob math ynddi. Roedd sinc rhydlyd yno hefyd, a hen sosbenni bach a mawr, cyllyll a ffyrc a dau gwpwrdd pren oedd wedi dechrau pydru. Doedd Dot ddim yn ffan mawr o'r gegin gudd ers iddi weld llygoden fach yn nofio yn y sinc, ond stori arall ydy honno.

Llwyddodd y ddau i newid mewn llai na saith munud, a chyn pen dim roedden nhw'n brysur yn creu'r bwyd 'blasus' a 'bendigedig'. Roedd yn rhaid i Dot adael y gegin fwy nag unwaith i gael awyr iach. Roedd drewdod yr holl faw defaid yn gwneud iddi deimlo'n sâl. Wil, felly, gafodd y dasg afiach o dylino a rholio'r baw defaid efo'i ddwylo. Doedd o ddim yn meindio. Roedd hi'n cymryd cryn dipyn i wneud i Wil deimlo'n sâl. Unwaith, llwyddodd Mali i daflu i fyny yn ei geg, a doedd o'n dal ddim yn teimlo'n sâl.

Y rhan anoddaf o baratoi'r bwyd oedd glanhau'r pryfed genwair. Roedden nhw'n symud gormod ac yn ofnadwy o lithrig. Ar ôl i'r tomatos a'r finegr gael eu tywallt drostyn nhw, roedden nhw'n dipyn mwy llonydd. Roedden nhw'n edrych yn union fel sbageti! Wrth osod popeth yn ei le, edrychodd y ddau ar ei gilydd a dechrau crio chwerthin.

"Dwi bron isio blasu'r bwyd 'ma, mae o'n edrych mor flasus," meddai Dot wrth edmygu eu gwaith.

"Blasa hwn!" chwarddodd Wil a stwffio 'selsigen' ddrewllyd dan ei thrwyn.

"Yyyyyych!" sgrechiodd Dot wrth i'r arogl afiach lenwi ei ffroenau.

"Reit, i mewn â ni, Dot. Mae pawb yn aros am y bwyd."

Roedd yn rhaid gwneud tri thrip yn ôl ac ymlaen i'r tŷ nes bod y bwyd i gyd wedi ei osod yn daclus ar fwrdd yr ystafell fyw. Dychmygwch yr olygfa – llond y lle o blant bach ciwt (ond snotlyd), rhieni'r plant, ambell nain a thaid, modryb ac ewythr, ac aelod hynaf y teulu – Hen, Hen Nain Llanrwst.

"Hen bryd. Dwi bron â llwgu!" cyfarthodd.

Hen, Hen Nain Llanrwst oedd un o'r ychydig bethau yn y byd oedd yn codi ofn ar Wil a Dot. Edrychodd y ddau ar ei gilydd yn bryderus, yn amlwg heb

17

ddisgwyl ei gweld hi yn y parti. Dynes fach, fain oedd hi ac roedd hi'n 107 mlwydd oed. Yn anffodus, doedd ganddi ddim un dant, a bron dim gwallt. Roedd hi'n methu eistedd yn syth, felly roedd ei phen bob amser yn plygu tuag i lawr, fel petai'n edmygu'r carped. Ond doedd hi ddim yn ddynes i edmygu dim. Doedd ganddi ddim gair da i'w ddweud am neb. Roedd hi hefyd yn swnio fel ci yn cyfarth.

"Pwy sy'n gwahodd hen ddynes 107 mlwydd oed i barti pen-blwydd ac wedyn yn gadael iddi lwgu'n aros am ei bwyd?" Roedd y cyfarth yn mynd yn uwch, a'r poer yn hedfan o'i cheg gam.

"MAE WIL A DOT WEDI BOD YN BRYSUR YN PARATOI GWLEDD AR EIN CYFER NI I GYD!" sgrechiodd mam Wil mor uchel nes i'r holl blant bach ddychryn a chrio nerth eu pennau. Roedd hi fel syrcas swnllyd yn yr ystafell fyw, ac roedd pethau ar fin mynd yn waeth.

5
Bwyd blasus

"Wil! Dot! Bwyd. RŴAN!" bloeddiodd
Hen, Hen Nain Llanrwst, a'r poer yn
hedfan dros ei thraed. Cododd ei phen
ryw fymryn ac roedd sbectol drwchus,
drwchus i'w gweld ar ei thrwyn. Roedd ei
llygaid fel dwy bêl snwcer.

Edrychodd y ddau ar ei gilydd eto
mewn ofn. Erbyn hyn, roedd y plant
bach ciwt a snotlyd wedi stopio crio
gan eu bod yn edrych ymlaen at fwyta.
Dechreuodd y ddau boeni eu bod wedi
mynd yn rhy bell, ond roedd hi'n rhy
hwyr i droi'n ôl rŵan.

"Be' fasach chi'n hoffi'i drio gyntaf, Hen, Hen Nain Llanrwst?" gofynnodd Dot, mewn llais oedd yn gwneud iddi swnio fel llygoden swil.

"Dwi isio selsig! Dwi wrth fy modd efo selsig! Dewch ag un i mi RŴAN!"

Estynnodd Wil un o'r ffyn yn nerfus, gan sylwi bod pry' copyn yn trio gwasgu ei ffordd allan o'r baw defaid. Doedd dim dewis ganddo ond mynd â'r ffon draw at ei hen, hen nain. Edrychodd o'i gwmpas a gweld y plant yn brysio at y selsig, a'r oedolion yn estyn yn llawen am y sbageti.

"Dyma chi, Hen, Hen Nain Llanrwst. Mwynhewch!"

Taflodd y ffon i'w llaw bron, cyn rhedeg yn ôl at Dot, oedd wedi symud i guddio y tu ôl i'r soffa. Wrth iddyn nhw edrych o'u cwmpas, roedd yn teimlo fel petai amser wedi arafu i lawr i ddim, bron. Roedd pawb yn codi'r gwahanol fwydydd yn boenus o araf at eu cegau, yn barod i'w blasu am y tro cyntaf.

"Ti'n difaru?" sibrydodd Wil yng nghlust Dot.

"Fydda i byth yn difaru chwarae tric da," atebodd Dot, â'i chalon yn curo'n gynt ac yn gynt oherwydd cyffro'r hyn oedd ar fin digwydd.

"BE' AR WYNEB Y DDAEAR YDW I NEWYDD EI FWYTA?" poerodd Hen, Hen Nain Llanrwst â'i llygaid mawr yn rholio yn ei phen. Gan nad oedd ganddi ddannedd, roedd y baw defaid wedi glynu i'w gyms a darnau'n llithro i lawr ei gên flewog.

6
Trwbl

Dechreuodd y plant grio eto, gydag ambell un yn taflu'r bwyd yn wyllt. Roedd y 'bwyd' yn hedfan i bob cyfeiriad: dros ddodrefn yr ystafell, ar hyd y waliau ac i walltiau pobl. Roedd un o'r rhieni wedi llewygu, ac roedd y 'sbageti' yn ymlwybro drosti a'r saws tomato ym mhobman (gan gynnwys ar y carped lliw hufen).

"Wil, Dot – rydach chi mewn trwbl. Trwbl mawr."

Roedd mam Wil yn sibrwd eto, a golwg wyllt ar ei hwyneb gwelw. Roedd hi'n crynu drosti. Gafaelodd yn y cadach, y brwsh a'r hwfyr a dechrau ymosod ar yr ystafell (ac ar y bobl a'r plant) fel dynes o'i chof.

Erbyn hyn, roedd cymaint o sŵn a llanast yn yr ystafell fel ei bod hi'n hawdd iawn i Wil a Dot ddianc heb i neb sylwi. Rhedodd y ddau nerth eu traed allan i'r caeau heb stopio nes roedd y tŷ yn edrych yn fach, fach y tu ôl iddyn nhw. Taflodd y ddau eu hunain ar y llawr a dechrau rholio chwerthin unwaith eto.

"Wnest ti … weld y … baw defaid yn diferu allan … o geg Hen, Hen … Nain Llanrwst?" meddai Wil gan biffian chwerthin ac ymladd am ei wynt yr un pryd.

"A'r pry' genwair yn cropian i fyny trwyn mam Fflur!" chwarddodd Dot, wedi cynhyrfu'n wirion.

Trodd y ddau i edrych ar ei gilydd gan wybod yn iawn beth oedd y llall ar fin ei ddweud.

"Pa dric allwn ni'i wneud nesa?"

* * *

7

Priodas Anti Ann

Mae'n gas gan Wil a Dot Anti Ann. Hi ydy'r ddynes sydd yn mynd ar eu nerfau fwyaf yn y byd i gyd, ac mae hynny'n ddweud mawr. I ddechrau, mae hi'n edrych fel llygoden. Dim un ciwt fasech chi eisiau ei chael fel anifail anwes. Mae ei llygaid yn fach, fach, fel dwy farblen ddu yn sgleinio yn ei phen. O dan ei thrwyn hir mae ei cheg fel petai'n trio cuddio, a does neb yn siŵr a oes ganddi ddannedd ai peidio. Does ganddi ddim llawer o wallt, ond mae pob blewyn wedi ei frwsio'n fflat a'i orchuddio â llwyth o jel seimllyd.

Y prif beth sydd yn gwylltio Wil a Dot am eu modryb ydy gorfod gwrando arni'n siarad. Dychmygwch wrando ar gath yn cael ei chrogi wrth iddi chwarae'r ffidil. Dyna sut lais sydd gan Anti Ann. Dim y llais oedd yr unig broblem chwaith, ond y ffaith ei bod yn cwyno – o hyd. Mae hi'r math o berson sydd yn cwyno am bob dim dan haul.

"Pam mae bywyd mor annheg?"

"Dyma'r bwyd gwaethaf i mi ei flasu erioed!"

"Dwi'n casáu'r lle 'ma!"

Cwyno, cwyno a mwy o gwyno.

Pan glywodd Wil a Dot fod Anti Ann wedi ffeindio rhywun oedd eisiau ei phriodi, doedden nhw ddim yn gallu credu'r peth. Pwy yn y byd fyddai eisiau gwrando arni hi'n cwyno bob dydd AM WEDDILL EI FYWYD? Ond wedyn, dyma'r ddau'n cyfarfod John, ac roedd popeth yn gwneud synnwyr.

Dydy John ddim yn edrych fel
llygoden. Mae o'n debycach i gi mawr,
blewog. Does gan John ddim llais fel cath
yn cael ei chrogi chwaith. Mae llais John
yn debycach i drombôn yn cael ei diwnio
(sydd ddim mor anodd i wrando arno).

Ond mae John hefyd wrth ei fodd yn cwyno.

"Ann, wyt ti wedi gweld faint o lanast mae'r plant wedi'i wneud?"

"Dydw i ddim yn hoffi'r lle yma, mae o'n erchyll."

"Mae bywyd mor anodd weithiau!"

Roedd Wil a Dot yn siŵr y byddai'r ddau yn hapus iawn efo'i gilydd, yn cwyno, cwyno, cwyno am byth.

8
Y gwahoddiad

Un diwrnod, glaniodd gwahoddiad priodas yn nhŷ Dot, ac un arall yn nhŷ Wil.

Gwahoddiad i briodas

∽ ꙮ ꙮ

Ann a John

∽ ꙮ ꙮ

Capel Llwm, 11.00
Gwesty Llwyd, 19.00

Ateber: annajohn@carucwyno.aol

Ar ôl iddi orffen darllen y gwahoddiad mwyaf diflas yn hanes y byd, rhedodd Dot yn syth i dŷ Wil a churo'n galed ar y drws. Agorodd Wil y drws yn ei hoff byjamas – rhai brown efo lluniau o siocled drostyn nhw.

"Waw, pyjamas neis, y collwr!" chwarddodd Dot yn ei wyneb.

"Gwell na dy ddillad lliw pi-pi di!" brathodd Wil yn ôl.

"Does 'na'm amser i ddadlau rŵan – ti 'di gweld hwn?"

Chwifiodd Dot y gwahoddiad dan drwyn Wil ac edrychodd y ddau i fyw llygaid ei gilydd. Gwenodd y ddau o glust i glust wrth iddyn nhw ddarllen meddwl y llall.

"Be' am i ni roi rheswm go iawn iddyn nhw gwyno?"

Edrychodd Dot ar Wil â'i llygaid yn disgleirio, cyn gweiddi:

"Amser meddwl am driciau!"

Aeth y ddau'n syth i ystafell wely

Wil, fel bod dim rhieni o gwmpas. Fe
fuon nhw'n trafod am amser hir iawn
pa fath o bethau fyddai'n gyrru Ann a
John o'u cof ar eu diwrnod mawr. Cafodd
Dot y syniad o guddio llygoden fach ym
mhoced John, ond doedd Wil ddim yn
meddwl y basai'r llygoden yn aros yno.
Yna, awgrymodd Wil roi jeli a hufen iâ
yn nicers Anti Ann, ond roedd Dot yn
meddwl y basai'r hufen iâ'n toddi yng
ngwres ei phen-ôl.

"Dwi'n gwybod!" bloeddiodd Dot ar
dop ei llais.

Roedd Wil bob amser yn teimlo
ychydig yn nerfus pan fyddai Dot yn
cynhyrfu fel hyn. Y gwir ydy fod Wil yn
poeni mwy am y triciau na Dot. Er ei fod
yn eu mwynhau, roedd o hefyd yn cael
teimlad rhyfedd yn ei fol wrth boeni am
gael llond ceg.

"Ti'n cofio faint ma' Anti Ann yn
casáu pryfed?"

Syniadau slei

9
Pryfed priodasol

Aeth Dot yn ei blaen i atgoffa Wil o'r holl adegau roedd hi wedi gorfod gwrando ar Anti Ann yn cwyno am bryfed. Roedd Anti Ann yn byw mewn hen, hen dŷ mewn coedwig unig, felly roedd pryfed o gwmpas i'w dychryn a'i gwylltio drwy'r amser. Roedd hi'n eu casáu nhw â chas perffaith. Unwaith, roedd pry' copyn wedi cropian i mewn i'w cheg yng nghanol y nos. Erbyn y bore roedd y pry' wedi dodwy wyau, ac roedd teulu bach o bryfed yn byw'n hapus o dan ei thrwyn. Roedd un wedi mynd i gysgu i fyny ei thrwyn yn y blew cynnes. Aeth hi'n hollol boncyrs, cyn llewygu mewn llyn o chwys oer.

"Reit," dechreuodd Dot. "Be' am i ni gasglu cymaint o bryfed ag y medrwn ni, ac wedyn eu taflu nhw dros Anti Ann a John pan maen nhw'n camu allan o'r capel? Conffeti arbennig!"

"Dwi ddim yn siŵr, Dot. Mae hi wir ofn pryfed. Be' os gwneith hi lewygu eto?" gofynnodd Wil yn betrus.

"Paid â bod yn gymaint o fabi, Wil!" atebodd Dot. Cau ei lygaid wnaeth Wil, a dychmygu'r olygfa y tu allan i'r capel. Yn araf, daeth gwên i'w wyneb, a dechreuodd biffian chwerthin. Cyn pen dim roedd y ddau'n rholio chwerthin ar y llawr.

Roedd pryfed wastad yn ddefnyddiol ar gyfer tric da, felly roedd y ddau'n gwybod yn syth ble i chwilio. Yn gyntaf, roedd angen mynd yn ôl i'r gegin gudd i nôl yr offer fyddai eu hangen arnyn nhw:

- 2 rwyd bysgota
- 2 focs hufen iâ gwag
- mêl
- 2 bâr o fenig
- mwd
- 2 het laswellt

Un peth roedden nhw wedi ei ddysgu yn y gorffennol oedd bod angen gwisgo'n addas er mwyn hela pryfed. Mae pryfed yn glyfrach nag y basech chi'n tybio. Er bod eu hymennydd nhw yr un maint ag atalnod llawn, maen nhw'n rhyfeddol o graff. Felly, rhaid gwisgo dillad addas i beidio tynnu sylw atoch eich hun. Roedd Wil a Dot wedi bod yn brysur yn gwnïo dail ar hen ddillad fel ei bod hi bron yn amhosib eu gweld nhw yng nghanol coed a gwrychoedd. Ar ôl iddyn nhw orffen gwisgo, rhwbiodd y ddau fwd dros eu hwynebau a gwisgo hetiau arbennig wedi eu gwneud o laswellt. Roedden nhw'n barod i hela pryfed!

10
Yr helfa

Yn y cae nesaf i'r gegin gudd roedd
cannoedd o bryfed yn byw – pryfed o
bob lliw a llun, pryfed tew a thenau,
mawr a bach. Pryfed cop oedd cas bethau
Anti Ann, ond doedd hi ddim chwaith yn
hoffi'r pryfed swnllyd hynny sy'n hedfan
o gwmpas eich tai chi yn yr haf. Heb
sôn am wenyn meirch – roedd y rheini'n
ddigon i wneud iddi redeg milltir. Yn
ffodus i Wil a Dot, roedd tipyn o flodau
yn y cae hefyd, oedd yn golygu bod
llwyth o wenyn yn dawnsio o'u cwmpas.

"Dwi am fynd i hel pryfed cop oddi

ar ganghennau'r coed," meddai Dot. "Cer di i hela'r gwenyn meirch a'r pryfed bach swnllyd o amgylch y blodau!"

Dyma hi eto, meddyliodd Wil wrth rolio'i lygaid. Roedd Dot bob amser yn rhoi'r tasgau anoddaf iddo fo.

"Ond be' os ca' i fy mhigo?"

"Gei di ddim, siŵr. Cofia roi digon o fêl yn y rhwyd ac yn y bocs hufen iâ – wnân nhw ddim cymryd dim sylw ohonot ti wedyn!"

Roedd Dot yn gallu gwneud i bob dim swnio mor hawdd. Cyn i Wil gael cyfle i ateb, roedd hi wedi rhedeg nerth ei thraed tuag at y coed ym mhen pella'r cae.

Ar ôl tair a awr a hanner flinedig, daeth y ddau'n ôl at ei gilydd yn y gegin gudd. Roedd Wil yn edrych fel petai wedi gweld ysbryd.

"Dwi byth am hela gwenyn meirch eto yn fy mywyd."

Roedd o wedi cael profiad a hanner. Gweld nyth gwenyn wnaeth Wil, a chynhyrfu gan feddwl ei fod wedi taro'r jacpot. Ond y gwir ydy, ddylech chi byth, BYTH fynd yn agos at nyth gwenyn, o dan unrhyw amgylchiadau.

Mynd yn agos wnaeth Wil, efo'i rwyd a'i focs hufen iâ llawn mêl. Ciciodd y nyth yn galed efo'i droed chwith. Daeth cwmwl o wenyn blin allan o'r nyth a

dechrau hedfan yn syth amdano. Trodd
ar ei sawdl a dechrau rhedeg mor gyflym
ag y gallai (sydd ddim yn gyflym iawn) i'r
cyfeiriad arall. Ei ddilyn wnaeth y cwmwl
peryglus. Taflodd Wil y bocs hufen iâ
gwag ar lawr a deifio i ganol y gwair nes
ei fod wedi diflannu o'r golwg. Yn lwcus
i Wil, hedfanodd pob un o'r gwenyn
blin yn syth i mewn i'r mêl nes roedden
nhw'n methu symud.

Arhosodd Wil ar lawr am amser hir, i
wneud yn hollol siŵr eu bod nhw'n hollol
sownd. Yn y diwedd cododd, a gosod y
caead ar dop y bocs oedd yn orlawn o
wenyn ofnadwy o flin. Roedd ei ddwylo'n
crynu ac roedd wedi blino'n lân.

"Wel, ches i ddim trafferth o gwbl
yn hel y pryfed cop," meddai Dot. "Mae'r
bocs yma'n llawn dop o bryfed cop tew
efo coesau hir a blewog! Mae hela pryfed
yn gymaint o hwyl!"

Roedd Wil yn rhy flin a gwan i
ymateb i'w gyfnither.

11
Y briodas

Daeth y diwrnod mawr o'r diwedd ac
roedd Wil a Dot wedi cynhyrfu'n wirion.
Nhw oedd y cyntaf i gyrraedd Capel
Llwm, yn gafael yn dynn yn eu bocsys
hufen iâ. Pan gyrhaeddodd Anti Ann,
dechreuodd Wil deimlo ychydig bach yn
euog. Roedd hi'n edrych yn eithaf hapus
am unwaith, ac wedi gwisgo ffrog ddigon
del. Efallai eu bod nhw ar fin gwneud
camgymeriad mawr …

"Gafaelwch yng nghefn y ffrog,
wnewch chi! Be' ydy'r pwynt cael
morwynion priodas os nad ydych chi am

fy helpu i? Ma' isio'ch ysgwyd chi, wir!"

Wrth glywed ei llais ofnadwy yn cwyno a chega unwaith eto, newidiodd Wil ei feddwl a gwenodd ar Dot.

Roedd y gwasanaeth yn hir iawn, ac roedd hi'n boenus gwrando ar y gath yn cael ei chrogi yn priodi'r trombôn yn cael ei diwnio. O'r diwedd, cyhoeddodd y gweinidog eu bod yn ŵr a gwraig. Gwasgodd Ann ei gwefusau yn barod am sws. Roedd ei cheg yn edrych fel pen-ôl mwnci. Rhoddodd John sws swnllyd a gwlyb iddi, oedd ddim yn beth neis iawn i'w wylio. Rhedodd Wil a Dot at ddrws y capel yn barod i daflu'r 'conffeti' dros y pâr priod.

Yr eiliad y camodd Anti Ann a John allan o'r capel, agorodd y ddau'r bocsys hufen iâ gan daflu cannoedd ar gannoedd o bryfed dros y ddau. Dwi'n meddwl y basech chi wedi clywed y sgrech o Awstralia, neu o'r lleuad hyd yn oed. Dyma'r sgrech fwyaf i Wil a Dot ei chlywed erioed. Roedd clustiau'r ddau yn canu.

Caeodd Anti Ann ei llygaid bach yn dynn, dynn. Roedd hi'n ofn am ei bywyd eu hagor nhw.

Rhoddodd hyn amser i Wil a Dot gamu'n ôl ac edmygu canlyniad eu tric yn iawn. Roedd pryfed ym mhobman – yn ei gwallt, i fyny ei thrwyn, dros ei gwddw, i lawr ei ffrog a thros ei breichiau a'i dwylo. Roedden nhw'n gwneud sŵn eithaf dychrynllyd. Sylwodd Dot fod pry' copyn maint ei llaw yn sefyll ar ben Anti Ann ac yn prysur symud at ei hwyneb.

"Dwi'n meddwl ei bod hi'n amser i ni fynd, reit sydyn!" sibrydodd Wil cyn llusgo'i gyfnither tuag at gatiau'r capel. Wrth redeg i lawr y lôn, roedden nhw'n dal i allu clywed sgrechfeydd Anti Ann yn cael eu boddi gan sŵn gwallgo'r pryfed blin.

*   *   *

12
Dydd Sul gwlyb

Roedd yn gas gan Wil ddyddiau Sul glawog. Roedd dyddiau Sul gwlyb yn golygu un peth: ei fod yn sownd yn y tŷ drwy'r dydd yn gofalu am ei chwaer fach snotlyd, Mali. Dim ei thrwyn oedd y broblem fwyaf chwaith, ond y ffaith ei bod yn feistr corn ar bawb, a hithau'n ddim ond tair oed. Doedd hi ddim yn gallu siarad yn iawn eto, oedd ddim yn helpu pethau.

"Wil, Mali isio chwala Sam Tân! Etoooooo!"

Er ei bod hi'n beth fach ddigon ciwt,

roedd Wil wedi cael llond bol o smalio bod yn gath yn sownd mewn coeden. Roedd o hefyd wedi cael llond bol ar fod yn sownd yn y tŷ, felly cafodd syniad.

"Mam, ga i a Mali fynd i dŷ Dot i chwarae, plis?"

Roedd ei fam druan yn cael trafferth efo'r hwfyr, oedd wedi troi a throi o amgylch ei choes nes ei bod hi'n methu symud. Gan fod ganddi gadach yn un

llaw a brwsh yn y llall, doedd hi ddim
yn medru diffodd y peiriant chwaith.
Sibrydodd rywbeth fel ateb, ond doedd
Wil ddim yn gallu ei chlywed, felly i
ffwrdd â fo gan adael ei fam yn dawnsio
efo'r hwfyr.

Agorodd Dot y drws i gyfarch ei
chefnder a'i chyfnither oedd yn prysur
wlychu yn y glaw. Cyn iddi gael cyfle
i agor ei cheg roedd Wil wedi gwthio'i
ffordd heibio iddi. Cariodd Mali'n syth i
fyny'r grisiau i ystafell wely Dot. Roedd
hi'n deall yr arwydd hwn yn iawn. Roedd
gan Wil dric ar ei feddwl!

"Wel, wel, oes gan Wil syniad am dric?"

Roedd Dot yn falch pan oedd Wil yn
cael syniad am dric, gan mai fo fel arfer
oedd yn teimlo'n ddrwg am greu hafoc.
Eisteddodd y ddau ar waelod gwely
melyn Dot gan bwyso ar y clustogau oedd
hefyd yn felyn. Rholiai Mali o gwmpas
y llawr, yn rhwbio'i thrwyn gwlyb dros
esgidiau a theganau Dot.

"Mali, paid!" gwaeddodd Dot yn flin.

"Dwi'n falch mai dim fi ydy'r unig un sy'n colli amynedd efo hi," meddai Wil. "Dyna pam 'mod i yma."

"Dwi'n glustiau i gyd, Wil!" atebodd Dot gan orwedd yn ôl yn barod i glywed mwy.

"Ma' gen i syniad am dric …"

"Wel, do'n i ddim yn meddwl dy fod ti yma i siarad am y tywydd!" torrodd Dot ar ei draws.

"Ga i gario 'mlaen?"

Nodiodd ei phen gan rolio'i llygaid. Roedd Mali wedi llwyddo i gael baw trwyn ar hyd ei chyrtens melyn erbyn hyn. Gwgodd Dot arni.

"Tric i droi gwallt Mali yr un lliw â'i baw trwyn. Tric i dalu'r pwyth yn ôl iddi am fod yn gymaint o boen snotlyd yn y pen-ôl!"

Roedd golwg braidd yn wyllt ar wyneb Wil wrth iddo fynd yn ei flaen i egluro mwy. Bob nos Sul byddai Wil yn

rhoi bath i Mali gyda help llaw ei fam.
Estynnodd am y llyfr syniadau slei a
gwneud diagram manwl o sut y gallen
nhw gyfnewid siampŵ Mali am baent
gwyrdd llachar, a hynny heb i'w fam sylwi
dim. Byddai'n rhaid iddyn nhw weithio'n

gyflym os oedden nhw am lwyddo. Meddyliodd Wil y buasai hefyd yn syniad da creu llanast yn y tŷ, i gadw ei fam yn brysur ac yn hapus yn glanhau.

"Dim problem, Wil. Mi ddo i draw erbyn hanner awr wedi chwech!" meddai Dot.

Diflannodd y wên oddi ar ei hwyneb yn eithaf sydyn wrth iddi sylweddoli bod Mali erbyn hyn yn difetha'i dillad gorau.

"Edrych ymlaen GYMAINT!" gwaeddodd Dot gan godi Mali o'i chwpwrdd a'i gosod y tu allan i'w hystafell wely. "Rŵan, ewch o 'ma!"

13
Amser bath

Roedd Dot yn meddwl y byddai'r tric hwn yn un gweddol hawdd. I ddechrau, roedd gan ei mam gwpwrdd yn llawn paent arbennig i liwio defnydd a fyddai'n berffaith ar gyfer lliwio gwallt Mali.

Yn ail, byddai mam Wil mor brysur yn glanhau fel y byddai'n hawdd rhoi'r paent gwyrdd ym mhotel siampŵ Mali heb iddi sylwi. Sleifiodd i lawr y grisiau mor dawel â llygoden ac agor y cwpwrdd i estyn y paent. Roedd tri gwyrdd gwahanol yno – un tywyll, un golau, ac un oedd mor llachar nes ei fod yn brifo'ch llygaid chi.

Bron fod angen gwisgo sbectol haul
i edrych ar y botel. Stwffiodd y botel
wyrdd llachar yn ei bag cyn sgipio at ei
mam.

"Dwi'n picio draw at Wil i helpu
efo amser bath Mali. Iawn, Mam?"
meddai.

Gwenodd mor ddiniwed ar ei mam
nes ei bod yn edrych fel angel fach
mewn cyngerdd Nadolig.

"Wel am feddylgar, Dot. Da iawn ti,
pwt!"

Roedd calon Dot yn curo'n gyflym
erbyn iddi gyrraedd drws ffrynt Wil.
Cymysgedd o gynnwrf, a'r ffaith iddi
redeg bob cam o'i thŷ hi mor gyflym
ag y gallai. Mam Wil agorodd y drws,
ond doedd hi ddim yn siŵr iawn
sut. Roedd yr hwfyr wedi ei lapio o
amgylch ei gwddw erbyn hyn ac roedd
hi'n dal heb lwyddo i'w ddiffodd.

"Tyrd yn syth i fyny, Dot. Diolch
am helpu!" gwaeddodd Wil o'r ystafell

ymolchi ar ben y grisiau.

Gwthiodd Dot ei ffordd heibio mam
Wil a sŵn byddarol yr hwfyr, a rhedeg
i fyny'r grisiau at ei chefnder. Dyna lle
roedd Mali fach yn edrych mor hapus
yng nghanol swigod y bath, a'i chyrls
melyn prydferth yn bownsio wrth iddi
sblasio dŵr i bob man.

"Golchi gwallt Mali rŵan, Wili a Doti
helpu!" sgrechiodd Mali fach, oedd wrth
ei bodd yn gweld Dot yn ymuno yn yr
hwyl amser bath.

Estynnodd Dot yn ofalus am y
botel wyrdd llachar o'i bag, ac arllwys
y cynnwys i gyd i mewn i botel siampŵ
oedd bron yn wag. Gafaelodd Wil yn y
botel siampŵ a'i hysgwyd cyn gwasgu
blob mawr ar ei law. Gwnaeth Dot yr
un fath. Cyn i chi gael amser i ddweud
'gwallt gwyrdd llachar' roedd y ddau
wrthi'n rhwbio'r gymysgedd yn ofalus
drwy gyrls melyn Mali. Roedd Mali wrth
ei bodd efo'r holl sylw!

"Mali merch fawr, dim crio'n golchi
gwallt. Wili a Doti'n helpu fi! Diiiiiiolch!"
Wrth weld gwallt hyfryd ei chwaer
yn newid lliw i fod y gwyrdd mwyaf

llachar iddo'i weld erioed, teimlodd Wil yr hen deimlad rhyfedd hwnnw yn ei fol eto. Roedd ar fin gweiddi ar ei fam pan benderfynodd Mali disian. Hedfanodd y stwff gwyrdd trwchus o'i thrwyn a glanio'n un lwmpyn cynnes ar ei dalcen. Ochneidiodd cyn cario ymlaen ag egni newydd.

Syniadau slei

14
Mali'r Clown

"Dyna ni! Wedi gorffen, Mali! Da iawn ti am fod yn ferch mor dda yn y bath!" gwenodd Wil arni ac edrych ar y llanast lloerig o'u cwmpas.

Nid gwallt Mali oedd yr unig beth oedd wedi newid lliw. Roedd y bath yn wyrdd llachar, yn ogystal â'r teils, y sebon, y teganau, ei ddwylo, dwylo Dot, mat y bath a'r llawr pren.

Cododd ei chwaer fach o'r bath a'i lapio mewn tywel brown golau. Doedd y tywel ddim yn frown golau am yn hir. Aeth y tri yn sydyn i ystafell wely Mali, gan adael llwybr o olion traed gwyrdd llachar ar eu holau yn y carped.

"Dwi'n edrych 'mlaen i weld sut fydd y gwallt yn edrych ar ôl i ni ei sychu!" chwarddodd Dot wrth droi'r peiriant sychu gwallt ymlaen yn ystafell Mali.

Ar ôl beth oedd yn teimlo fel oriau, roedd gwallt Mali yn sych. Am y tro cyntaf ers i Wil ei hadnabod, roedd Dot yn hollol dawel. Edrychodd y ddau yn gegagored ar Mali fach a'r cwmwl enfawr o gyrls gwyrdd llachar ar ei phen. Roedd hi'n edrych fel rhyw fath o gartŵn lloerig o blaned arall.

"Mae dy fam yn mynd i fynd yn boncyrs, Wil," meddai Dot yn araf, â hanner gwên ar ei hwyneb.

Gyda hynny ffrwydrodd mam Wil i mewn i'r ystafell.

"Be' ar wyneb y ddaear sydd wedi digwydd i Mali Mali Mŵ Mŵ bach Mami Wami Mi Mi?" sibrydodd gan flincio tua chant o weithiau mewn deg eiliad.

Camodd Dot a Wil yn ôl yn araf bach,
cyn cyflymu a diflannu o'r ystafell gan
gau'r drws yn glep ar eu holau. Brysiodd
y ddau i guddio yn y cwpwrdd dan
grisiau.

"Rydan ni mewn cymaint o drwbl!" meddai Wil gan roi ei ddwylo gwyrdd llachar dros ei wyneb gwelw.

"Mi fydd o werth y trwbl, Wil. Roedd hwnna'n dric a hanner! Roedd Mali'n edrych fel clown bach ciwt!" chwarddodd Dot, a'r dagrau'n rholio i lawr ei bochau.

＊　＊　＊

15
Mrs Taran

Os oes un peth mae Wil a Dot yn ei gasáu'n fwy na dyddiau Sul glawog, Mrs Taran ydy honno. Mrs Taran ydy pennaeth Ysgol Melin-y-grug, ac mae hi'n bennaeth llym iawn. Un o'i hoff bethau yn y byd ydy rheolau, a does ganddi ddim amynedd efo plant sy'n eu torri nhw. Os ydych chi'n ddigon gwirion i'w chroesi, rydych chi'n siŵr o'i chlywed hi'n gweiddi. Yn ôl y sôn, mae sŵn Mrs Taran yn gweiddi ar dop ei llais yr un mor swnllyd ag awyren fach yn codi i'r awyr.

Rheswm arall sydd gan Wil a Dot dros beidio hoffi Mrs Taran ydy'r ffordd mae hi wastad yn pigo'i thrwyn, ac wedyn yn ei fwyta. Mae hi bob amser yn trio cuddio'r tu ôl i ryw lyfr neu ddarn o bapur, ond mae pawb yn gwybod yn iawn beth sy'n digwydd. Nid rhoi'r snot yn ei cheg yn unig mae hi chwaith, mae hi'n ei gnoi o'n swnllyd hefyd. Yn union fel petai'n mwynhau gwm cnoi blasus.

O feddwl bod ganddi lais mor fawr, mae hi'n ddynes eithaf bach, ac o feddwl ei bod hi mor flin, mae hi'n edrych yn eithaf cyfeillgar. Peidiwch â chael eich twyllo gan y gwallt taclus llwyd, y cardigans gwlân a'r llygaid glas, ffeind – mae hon yn ddynes beryg. Dydych chi ddim eisiau gwylltio Mrs Taran.

"Dwi wedi cael llond bol ar holl reolau'r ysgol," cwynodd Dot ar y bws un bore. "Mae'r ysgol i fod yn lle i gael hwyl.

Mrs Taran

Bai Mrs Taran ydy hyn i gyd."

"Dot, fedrwn ni byth chwarae tric ar Mrs Taran. Ti'n deall hynny, yn dwyt?" meddai Wil yn gadarn, ac ofn yn llenwi ei lygaid.

"Pam lai? Os oes 'na rywun sy'n haeddu hynny, ein pennaeth ni ydy honno!"

Roedd Wil wedi gweld yr olwg hon ar wyneb ei gyfnither o'r blaen. Golwg benderfynol. Unwaith roedd hi wedi rhoi ei meddwl ar chwarae tric, doedd dim posib anghytuno efo Dot. Er hyn, roedd chwarae tric ar Mrs Taran yn poeni Wil yn ofnadwy. Roedd hi'n ei ddychryn yn fwy na neb arall yn y byd.

"Ti ddim yn cofio be' ddigwyddodd i Ted Huws?" sibrydodd Wil, a'i ddwy lygaid yn fawr fel soseri.

Rholiodd Dot ei llygaid a throi i edrych allan drwy'r ffenest.

"Be' am i fi dy atgoffa di?"

Anwybyddodd Dot y cwestiwn, ond

aeth Wil yn ei flaen.

"Roedd yn rhaid i Ted Huws aros i mewn a cholli pob amser chwarae AM DYMOR CYFAN, yn ysgrifennu'r un frawddeg drosodd a throsodd a throsodd."

Arhosodd am ymateb gan ei gyfnither styfnig, ond ddaeth yr un.

"Ti'n cofio be' oedd y frawddeg, Dot?"

Roedd llygaid Wil wedi mynd yn fwy fyth erbyn hyn, fel petaen nhw ar fin neidio allan o'i ben.

"Dwi'n caru cardigan Mrs Taran," atebodd Dot yn swta.

"Ie! 'Dwi'n caru cardigan Mrs Taran!' Dychmyga ysgrifennu'r frawddeg honno filoedd o weithiau! Dwi ddim hyd yn oed yn hoffi *dweud* ei henw hi, heb sôn am ei ysgrifennu!"

Eisteddodd y ddau mewn distawrwydd ar y bws am rai munudau. Ar ôl meddwl yn galed, trodd Dot at Wil gan estyn y llyfr bach llawn syniadau slei.

"Mi fydd o werth o, Wil. Gwranda ar y tric yma ..." meddai.

Roedd ei llygaid yn dawnsio o ddireidi.

16
Y cynllun cwstard

Estynnodd Dot ei chas pensiliau o'i bag a dechrau llunio cynllun manwl yn y llyfr triciau. Er bod Wil yn teimlo'n sâl am hyn i gyd, roedd yn methu peidio â busnesu dros ei hysgwydd. Gwelodd y gair 'cwstard' wedi ei ysgrifennu wrth ymyl llun o het y pennaeth. Doedd o ddim yn gallu aros yn ddistaw am eiliad arall.

"Cwstard, yn het Mrs Taran! Wyt ti'n gall?" sibrydodd, â'i wyneb yn llawn braw.

Trodd ambell un ar y bws i edrych

i gyfeiriad y ddau. Gwenodd Wil yn nerfus. Doedd o ddim am i neb glywed am gynllun gwirion Dot.

"Gwranda, Wil. Dwi am wneud y tric yma – efo dy help di neu beidio. Ti'n gwybod ei bod hi'n ei haeddu o'n fwy na neb!"

Meddyliodd Wil am y peth. Roedd Mrs Taran yn gweiddi'n aml, ar bawb. Weithiau roedd hi'n gweiddi am ddim rheswm o gwbl, ac yn dychryn pawb o'i chwmpas wrth wneud. Basai pawb yn yr ysgol yn mwynhau ei gweld hi'n nofio mewn cwstard, ond beth fyddai'r gosb? Torrodd Dot ar draws ei feddyliau.

"Dwi'n falch dy fod ti'n cytuno, Wil! Edrycha ar y cynllun …"

Roedd Dot fel petai hi'n gallu darllen meddwl Wil weithiau. Aeth yn ei blaen i'w atgoffa fod Mrs Taran yn dechrau pob gwasanaeth drwy sefyll o flaen yr ysgol a gweiddi, 'Bore da, bawb', cyn rhoi ei het ddu, henffasiwn ar ei phen. Syniad

Dot oedd sleifio i'r neuadd cyn i'r ysgol ddechrau, a llenwi'r het efo cwstard oer. Er ei fod o'n poeni'n ofnadwy am gael ei ddal, roedd o'n methu peidio â gwenu wrth ddychmygu'r cwstard trwchus yn tywallt allan o'r het dros Mrs Taran. Brysiodd y ddau i gyfeiriad y siop.

17
Siop Mei

Mae pawb yn y pentref yn siopa yn siop
Mei. Mae Mei, y perchennog, yn adnabod
pawb yn y pentref. Mae o hefyd wrth ei fodd
yn busnesu. Does dim byd mae Mei yn ei
fwynhau yn fwy na gofyn cwestiynau.

"Ydy coes dy nain yn well?"

"Sut mae dy Anti Jo?"

"Pa liw ydy trôns dy dad?"

Mae'r cwestiynau'n ddiddiwedd! Mae
ambell un wedi dechrau ei alw'n 'Mei-ndia
dy fusnes', ond dydy Mei ddim yn gweld
hynny'n ddoniol o gwbl. Dydy o ddim yn
gallu chwerthin ar ei ben ei hun. Er, mae o'n

hoff iawn o chwerthin ar bobl eraill. Hen chwerthiniad rhyfedd sy'n swnio fel bwji'n tagu ar gneuen.

Yn gyfleus i Wil a Dot, mae'r siop dafliad carreg o'r ysgol, felly aeth y ddau yno'n syth ar ôl camu oddi ar y bws. Canodd y gloch fach wrth i'r drws agor. Dyna lle roedd Mei yn barod efo'i gwestiynau.

"Sut mae gwallt Mali fach?"

"Ydy Anti Ann wedi maddau i chi eto?"

"Be' am Hen, Hen Nain Llanrwst – ydy hi'n dal i anadlu?"

Doedd o ddim hyd yn oed yn rhoi amser iddyn nhw ei ateb! Roedd Dot wedi paratoi am hyn, felly brasgamodd at y silffoedd, gafael yn y cwstard a rhoi'r arian cywir ar y cownter cyn troi ar ei sawdl a gadael y siop.

"Diolch yn fawr!" mwmiodd Wil cyn brysio ar ei hôl.

"Ydach chi isio bag? Un pum ceiniog neu ddeg ceiniog? I bwy mae'r cwstard?"

Roedd y ddau wedi hen adael cyn iddo gyrraedd cwestiwn rhif pedwar.

18
Sleifio i'r ysgol

Fel arfer, byddai Wil a Dot yn chwarae
ar yr iard cyn i'r gloch ganu. Roedd
Dot wrth ei bodd yn chwarae tic, gan
ei bod hi bron yn amhosib i neb ei dal.
Doedd Wil byth yn chwarae tic. Y tro
diwethaf iddo drio, trodd ei wyneb yn
goch fel tomato a syrthiodd i gysgu yn y
gwasanaeth. Roedd Wil yn casáu rhedeg.
Rhedeg oedd un o'i gas bethau yn y byd
(ar ôl Mrs Taran, dyddiau Sul gwlyb a
brocoli).

Ond doedd dim amser i chwarae
heddiw.

"Gwranda'n astud: mae'n rhaid i ni

weithio'n gyflym ac yn ddistaw, deall?"
sibrydodd Dot.

"Iawn," nodiodd Wil ei ben yn ufudd.
"Mi wna i dy ddilyn di!"

Gyda hynny, sleifiodd y ddau ar
flaenau eu traed i mewn i'r ysgol.
Teimlodd y ddau ryddhad mawr fod neb
wedi eu gweld yn mynd drwy'r drws cefn
ac yn syth i'r neuadd.

"Pump uchel!" gwaeddodd Dot,
ychydig yn rhy swnllyd.

"PWY AR WYNEB Y DDAEAR
SYDD WEDI MEIDDIO DOD I'R
NEUADD CYN I'R GLOCH GANU?"

Rhoddodd Wil a Dot eu dwylo
dros eu clustiau wrth glywed sgrech
gyfarwydd Mrs Taran. Er ei bod hi'n
sefyll yr ochr arall i'r neuadd, roedd yn
teimlo'n union fel petai'n gweiddi ar dop
ei llais un centimetr i ffwrdd o'u clustiau.

Dechreuodd Wil boeni'n syth.
Roedd Dot yn gwybod ei fod yn poeni,
oherwydd roedd ei wefus wedi dechrau

crynu. Edrychodd Wil ar ei gyfnither a gwelodd olwg hyderus yn ei llygaid, a wnaeth iddo deimlo ychydig bach yn well.

"Bore da!" meddai Dot mor siriol a llawen â'r gog.

"WIL A DOT DAVIES, BLWYDDYN CHWECH! DWI'N GOBEITHIO BOD GENNYCH CHI RESWM DA IAWN DROS FOD YN Y NEUADD CYN Y GLOOOOCH!"

Roedd bochau Mrs Taran yn goch, ac roedd poer yn hedfan o'i cheg i bob cyfeiriad. Glaniodd y poer ar wynebau Wil a Dot. Roedd yn arogli fel bwyd cath.

"Mae problem ar yr iard, Mrs Taran. Mae Lois fach wedi cael damwain wrth chwarae tennis yn erbyn Ted Huws."

"TED HUWS?"

Erbyn hyn roedd stêm yn dod allan o glustiau'r pennaeth. Roedd hi'n edrych fel tarw – tarw blin, iawn, iawn. Os oedd un peth yn ei gwylltio'n fwy na phlant yn torri rheolau, Ted Huws, Blwyddyn Pump, oedd hwnnw. Doedd Ted Huws ddim yn gallu gwneud dim byd yn iawn. Roedd o mewn trwbl o hyd. Dechreuodd Mrs Taran chwifio'i breichiau fel melin wynt. Hedfanodd o'r neuadd fel corwynt llawn chwys, poer a stêm. Roedd hi'n methu stopio sgrechian 'Ted Huws' drosodd a throsodd ar dop ei llais. Roedd Wil bron yn siŵr bod waliau'r neuadd yn ysgwyd.

19
Cwstard cyfrwys

Ar ôl i'r corwynt chwythu allan o'r ystafell, estynnodd Dot am ei bag ysgol melyn.

"Brysia, Wil, cer i nôl yr het!"

Oedodd Wil am eiliad. Roedd yr hen deimlad hwnnw'n cnoi yn ei fol eto. Fel petai bochdew yn rhedeg rownd a rownd ar olwyn yn ei stumog.

"Dwi ddim yn siŵr, Dot …" dechreuodd gan edrych i lawr ar ei esgidiau.

"Wil! Het! RŴAN!"

Roedd llais Dot mor benderfynol nes

i Wil neidio i nôl het Mrs Taran. Roedd
hi'n hen het hurt (fel ei pherchennog).
Het fawr, ddu a henffasiwn. Cododd yr
het a brysiodd yn ôl at ei gyfnither, oedd
wedi agor y carton anferth o gwstard ac
yn barod i'w dywallt.

"Barod?" holodd Dot â'i gwên yn
disgleirio.

Llifodd y cwstard trwchus allan o'r
carton yn araf. Roedd yn rhaid i'r ddau
wasgu'r carton erbyn y diwedd i gael
pob diferyn o'r hylif melyn i mewn i'r
het. Edrychodd y ddau ar ei gilydd, ac
yna'n ôl ar yr het a'r cwstard oer, lympiog.
Perffaith, meddyliodd y ddau dan wenu.

"Reit, yr unig beth sy'n rhaid i ni
ei wneud rŵan ydy cario'r het yn ôl at
gadair Mrs Taran a sleifio'n ôl allan i'r
iard!" meddai Dot.

Llwyddodd y ddau i gario'r het yn
ofalus yn ôl at y gadair cyn brysio allan
drwy'r drws, a hynny fel roedd y gloch yn
canu. Rhedodd y plant i gyd at ei gilydd i

ffurfio rhes daclus. Pawb heblaw am Ted Huws, oedd yn rhedeg o amgylch y trac athletau â'i ben yn ei blu.

Syniadau slei

20
Y gwasanaeth

"PAWB MEWN UN RHES DACLUUUUUUS!" sgrechiodd y pennaeth, nes i'w mẁg coffi chwalu'n deilchion yn ei llaw.

Dechreuodd Ted Huws redeg yn araf tuag at y plant eraill.

"DIM TIIIII, TED HUUUUWS! MI GEI DI REDEG NES BYDD DY GOESAU DI FEL JELI! 500 LAP!"

Roedd wynebau'r plant bach oedd yn sefyll agosaf at Mrs Taran yn socian erbyn hyn efo'r holl boer drewllyd.

"I'R NEUADD!" cyhoeddodd y

pennaeth cyn troi a cherdded i mewn i'r ysgol.

Yr un oedd y drefn bob bore. Pawb yn dilyn ei gilydd yn dawel mewn un rhes hir, ac yn eistedd yn daclus mewn rhesi trefnus. Y bore hwnnw, roedd Dot wedi llusgo Wil i'r blaen, er mwyn iddi gael eistedd mor agos â phosib at Mrs Taran.

"Mi fydd yn werth cael wyneb gwlyb er mwyn gweld y tric yn iawn!" sibrydodd wrth Wil ac eistedd i lawr a chroesi ei choesau.

"BORE DA, BLANT!"

Roedd hi'n union fel eistedd allan yn y glaw, meddyliodd Wil. Ond fyddai'r gawod hon ddim yn para'n hir, yn ôl pob golwg, achos roedd Mrs Taran wedi dechrau estyn am ei het yn barod. Daliodd Wil a Dot eu gwynt wrth i ddwylo bach llwyd y pennaeth afael yn dynn yn ymyl yr het a'i chodi'n araf tuag at ei phen. Roedd hi'n edrych i lawr ei thrwyn ar yr ystafell fel petai hi y person pwysicaf yn y byd.

"FI YDY'CH PENNAETH CHI –
MRS TARAN!" bloeddiodd gan droi'r het
yn sydyn a'i gosod ar ei phen.

Mae'n anodd disgrifio'r hyn
ddigwyddodd nesaf. Doedd ysgol fach
Melin-y-grug erioed wedi gweld na
chlywed dim byd tebyg o'r blaen. Roedd
y cwstard lympiog yn gorchuddio wyneb
a gwallt Mrs Taran ac yn prysur ddiferu
dros weddill ei chorff. Agorodd ei cheg
i ddechrau gweiddi, ond tagodd ar lond
ceg o gwstard trwchus.

Aeth y plant yn wyllt! Sylwodd Dot
ar ambell un yn crio chwerthin (gan
gynnwys Ted Huws, oedd yn gwasgu
ei wyneb yn dynn yn erbyn ffenest y
neuadd i fusnesu). Roedd y neuadd gyfan
ar eu traed yn neidio i fyny ac i lawr, yn
union fel petai tîm pêl-droed Cymru
newydd ennill Cwpan y Byd! Roedd hyd
yn oed yr athrawon yn edrych yn hapus,
ac roedd sŵn y dathlu'n llenwi'r ysgol.

Diflannodd Mrs Taran heb i neb

sylwi, gan adael llwybr malwoden o
gwstard ar ei hôl. Ddaeth hi byth yn ôl
i'r ysgol ar ôl y gwasanaeth hwnnw. Yn
ôl Mei Siop, roedd hi wedi symud i fyw i
Sbaen i ofalu am gathod byddar.

Gwynt teg ar ei hôl hi oedd barn pobl
y pentref, a phlant Ysgol Melin-y-grug.

* * *

21
Ysgol Pant Mawr

"Wyt ti'n edrych ymlaen i fynd i'r ysgol uwchradd, Dot?" holodd Wil ar y bws un bore.

"Ydw, siŵr. Fydd o'n cŵl, yn bydd?" atebodd Dot mor hyderus ag erioed, yn llawn egni.

Y rheswm pam roedd Wil yn holi oedd eu bod am fynd i weld Ysgol Pant Mawr am y tro cyntaf yr wythnos honno. Diwrnod agored i blant Blwyddyn Chwech. Roedd o'n poeni wrth feddwl am fod yng nghanol yr holl blant mawr, diarth.

"Ti'n gwybod be' fasa'n gwneud yr holl beth yn dipyn mwy o hwyl?" gofynnodd Dot, efo'r hen wên fach slei honno ar ei hwyneb.

"Chwarae tric?" cynigiodd Wil yn dawel, er ei fod yn gwybod yn iawn mai dyna oedd ar feddwl ei gyfnither.

"Dyyy, be' arall?" chwarddodd Dot cyn estyn y llyfr syniadau slei a dechrau sgriblo'n wyllt dros y tudalennau.

O'r hyn allai Wil ei weld ar y dudalen, roedd hwn yn mynd i fod yn dric eithaf syml. Syml, ond drewllyd – a swnllyd. Tri pheth oedd ar ei rhestr:

- balŵns
- tail gwartheg
- hen gyrtens

Roedd meddwl am dail gwartheg yn dod ag atgofion drwg yn ôl i Wil. Roedd wedi cael profiad eithaf dychrynllyd pan

oedd yn saith oed, wrth i fuwch wneud
ei busnes drosto. Aeth y drewdod brown
afiach i'w glustiau, a rhwng ei ddannedd
hyd yn oed. Mi gymerodd chwe thiwb o
bast dannedd i gael gwared o'r blas yn ei
geg.

"Dwi'n gwybod nad wyt ti'n hoffi
tail gwartheg, Wil, ond mae o'n berffaith
ar gyfer y tric yma. Mae o mor drwchus
a drewllyd, ac fel arfer mae 'na lwyth
o bryfed yn sownd ynddo fo hefyd!
Bonws!"

Meddyliodd Wil am yr oriau a
dreuliodd yn crafu'r tail allan o'i glustiau.
Llyncodd yn galed.

"Be'n union ydy'r tric y tro yma,
Dot?"

22
Casglu tail

Dydy casglu tail gwartheg ddim mor hawdd ag y mae'n swnio. Yn sicr, mae angen dau i wneud y dasg yn iawn. Y peth ydy, mae'r tail gymaint â hynny'n fwy drewllyd os ydych chi'n ei gasglu'n syth ar ôl iddo ddod allan o ben-ôl yr anifail. Cyn iddo gyffwrdd y llawr, os yn bosib. Dyna oedd cynllun Wil a Dot wrth iddyn nhw fentro i'r cae ar ôl dod adref o'r ysgol y diwrnod hwnnw.

"Felly, unwaith mae'r fuwch yn dechrau gwneud ei busnes, Wil, ma'n rhaid i ti ddangos y bwyd gwartheg a cherdded i ffwrdd, deall?"

"Dal y bwyd dan ei thrwyn, a cherdded am yn ôl?"

"Yn union. Achos mi fydda i y tu ôl iddi efo rhaw a bag yn casglu'r holl dail. Y peth ola' dwi isio ydy cic yn fy wyneb, felly gwna'n siŵr dy fod ti'n symud yn ôl yn gyflym."

Nodiodd Wil. Roedd o'n hapusach ers iddo deall mai o flaen y fuwch fyddai'n rhaid iddo sefyll. Roedd o wedi gwneud addewid iddo'i hun i beidio â bod o fewn metr i ben-ôl buwch am weddill ei fywyd. Doedd o ddim yn bwriadu torri'r addewid hwnnw ar frys.

Gweithiodd y cynllun i'r dim. O fewn awr roedd ganddyn nhw chwe bag siopa'n llawn dop o dail drewllyd, a llwyth o bryfed tew hefyd. Fyddai rhan nesa'r paratoi ddim mor hawdd. Roedd angen llenwi 23 balŵn efo'r gymysgedd afiach.

"Paid â phoeni, Wil. Mae pob dim 'dan ni ei angen yn y gegin gudd! Mae'r rhestr gen i fan hyn, edrych!"

- menig plastig
- pegiau
- mygydau
- sbectolau diogelwch
- llwyau bach

Gwenodd Wil yn wan. Weithiau, doedd o ddim yn siŵr pam ei fod yn dal i gytuno i chwarae'r triciau yma. Cerddodd y ddau yr holl ffordd draw i'r gegin gudd.

23
Balŵns bendigedig

Erbyn iddyn nhw gyrraedd y gegin roedd Wil druan yn hollol fyr ei wynt.

"Fedra … i … ddim … chwythu … unrhyw … falŵn …" pwffiodd cyn disgyn i'r llawr mewn poen.

Rholiodd Dot ei llygaid gan groesi ei breichiau. Roedd hyn yn arwydd ei bod ar fin taflu ordors at ei chefnder.

"Mi wna i chwythu. Casgla di lond llwy o dail yn barod i'w stwffio i mewn i'r balŵn – iawn?"

Llusgodd Wil ei hun oddi ar y llawr a nodio'n flinedig. Gwisgodd y ddau'r sbectolau diogelwch, y menig

a'r mygydau. Rhoddodd y ddau beg ar
eu trwynau. Roedd y pegiau'n boenus,
ond yn well na gorfod arogli cynnwys y
bagiau siopa. Roedden nhw'n edrych fel
dau ofodwr wedi bod yn ymladd efo lein
ddillad.

Bu'r ddau wrthi am hanner awr yn
llenwi'r balŵns efo aer, tail a phryfed tew.

"Dyna ni! Wedi gorffen!" cyhoeddodd
Dot mewn llais gwichlyd fel llygoden,
diolch i'r peg oedd ar ei thrwyn.

Edrychodd y ddau ar y pentwr o
falŵns dan wenu. Doedd Wil ddim
wedi teimlo mor flinedig â hyn ers
iddo lewygu ar ôl rhedeg 800 metr ym
mabolgampau'r ysgol ym Mlwyddyn Tri.

"Y cwbl sydd angen i ni ei wneud
rŵan ydy torri'r hen gyrtens yma'n
sgwariau bach taclus!" cyhoeddodd Dot
efo mwy o egni nag erioed.

"Be'? Pam?" cwynodd Wil.

"Gei di weld, Wil, gei di weld!"
chwarddodd Dot.

24

Y diwrnod mawr

Roedd hen grafu pen wedi bod am sut fydden nhw'n llwyddo i gael yr holl falŵns i'r ysgol uwchradd ar y diwrnod agored. Dot gafodd y syniad yn y diwedd, ac roedd yn rhaid i Wil gytuno'i fod yn syniad da iawn.

"Daaaaaaad," dechreuodd Dot mewn llais bach annwyl oedd bob amser yn llwyddo i ddal sylw ei thad. Roedd hi'n gallu ei lapio o amgylch ei bys bach.

"Ie, blodyn?"

"Dwi a Wil wedi cytuno i fynd â dillad pêl-droed budr yr ysgol efo ni i

Ysgol Pant Mawr fory, gan fod peiriant golchi'r ysgol wedi torri. Gawn ni lifft i'r diwrnod agored yn dy gerbyd gwaith di, pliiiiiis?"

Blinciodd Dot gymaint nes bod ei hamrannau'n edrych fel dau bilipala prysur.

"Chwarae teg i chi, wir, dim problem!"

Y bore wedyn, helpodd tad Dot i gario'r bagiau du gorlawn i gefn ei dryc.

"Mae'r dillad pêl-droed 'ma'n drewi, Dot! Yn lle fuoch chi'n chwarae?" holodd ei thad gan droi ei drwyn.

"Maen nhw wedi bod yn chwysu yn y bagiau du ers oes yn aros i rywun fynd â nhw i'w golchi!" atebodd Dot yn sydyn. Roedd ganddi wastad ateb i bob dim. Hyd yn oed os oedd o'n gelwydd noeth.

Trawodd yr arogl Wil yr eiliad y camodd i mewn i'r cerbyd. Gwingodd.

"Bore da, Yncl Tom! Diolch am y lifft!"

"Croeso, Wil bach! Rŵan, gadewch i fi fynd â chi'n reit sydyn, cyn i fi lewygu yn y drewdod 'ma!"

Chwarddodd y tri. Chwarddodd Wil a Dot ychydig bach yn rhy galed ac yn rhy hir. Cyn pen dim roedden nhw wedi cyrraedd gatiau Ysgol Pant Mawr. Doedd dim troi'n ôl rŵan …

Syniadau slei

25
Peiriant pwmps

Llwyddodd Dot i gael criw o blant mawr
iawn i'w helpu i gario'r bagiau du yr holl
ffordd at ddrws y neuadd fawr. Doedd
ofn neb na dim ar Dot. Hyd yn oed pan
ddechreuodd y bechgyn ofyn cwestiynau
am y bagiau, eu hateb nhw'n hyderus
wnaeth hi.

"Dillad budr sydd yn y bagiau. Llwyth
o ddillad budr. Drewi fel tail, yn dydyn?"
chwarddodd ychydig yn rhy uchel
unwaith eto, ond doedd neb i'w weld yn
amau dim.

Yn y neuadd, roedd rhesi o gadeiriau

wedi eu gosod yn barod ar gyfer plant
Blwyddyn Chwech Ysgol Melin-y-grug.
Brysiodd Dot i osod balŵn ar bob cadair
ac yna gorchuddio pob un ohonyn nhw
efo sgwaryn o ddefnydd. Roedd hyn yn
gwneud i'r balŵns edrych fel clustogau
ar y cadeiriau. Nodiodd Wil wrth ddeall
beth oedd pwrpas yr hen gyrtens. Roedd
o'n methu peidio ag edmygu ei gyfnither
wrth weld y tric yn dod at ei gilydd.

Wrth i Dot osod darn o ddefnydd ar
y balŵn olaf, canodd y gloch. Daeth holl
blant eu dosbarth atyn nhw a sefyll mewn
rhes y tu allan i'r drws. Sleifiodd y ddau i
gefn y rhes yn llawn cynnwrf.

"Bore da, blant. Mr Jones ydw i.
Dilynwch fi i mewn i'r dosbarth a sefyll o
flaen eich cadeiriau, os gwelwch yn dda."

Gwibiodd yr athro heibio iddyn nhw
fel wiwer fach brysur. Doedd o ddim
llawer mwy na wiwer, a dweud y gwir, er
bod ei wyneb yn debycach i lyffant. Aeth
y plant i mewn i'r dosbarth yn dawel

a sefyll yn ufudd o flaen y cadeiriau.
Edrychodd Wil a Dot ar ei gilydd. Roedd
hi'n rhy hwyr i droi'n ôl rŵan.

"Eisteddwch!" cyhoeddodd Mr Jones
yn siriol.

A gyda hynny, ffrwydrodd yr ystafell.
Roedd sŵn yr holl falŵns yn byrstio yr
un pryd yn fyddarol. Ar ben pob bang
roedd sgrechfeydd y plant a chwerthin
gwallgof Dot. I wneud pethau'n waeth,
roedd Mr Jones druan yn cyfogi o
flaen y dosbarth wrth i ddrewdod
yr holl dail gwartheg ei daro'n galed.
Dechreuodd Wil chwerthin hefyd, er mai
chwerthiniad digon nerfus oedd hwnnw.

Sylwodd y plant yn syth fod Wil a
Dot yn chwerthin, a daeth un ferch, Cati,
i flaen y dosbarth wedi gwylltio'n gacwn.

"Wil a Dot, sut allech chi chwarae
tric ar eich ffrindiau ar ddiwrnod mor
bwysig?"

"Dach chi wedi mynd yn rhy bell y
tro yma!" cytunodd Rhys, oedd hefyd

wedi gwthio'i hun drwy'r drewdod i flaen
y dosbarth.

"Roedden ni i gyd wedi edrych
ymlaen cymaint at gael dod i Ysgol Pant

Mawr bore 'ma. Mae hyn wedi sbwylio popeth!" ychwanegodd Naomi, oedd yn trio helpu Dafydd druan i ddod o hyd i'w sbectol yng nghanol yr holl lanast.

Edrychodd Wil a Dot o'u cwmpas. Roedd hi'n olygfa drist. Roedd dillad ysgol newydd pawb wedi eu difetha. Roedd Angharad, merch anwylaf y dosbarth, yn ei dagrau ar y llawr. Doedd Dafydd yn gweld dim heb ei sbectol. Roedd Mr Jones yn edrych mor siomedig, yn amlwg yn disgwyl gwell gan blant Blwyddyn Chwech Melin-y-grug.

Aeth y ddau adref dan gwmwl y diwrnod hwnnw. Roedden nhw wedi siomi eu hathro newydd ac wedi brifo teimladau eu ffrindiau. Roedd y chwarae wedi troi'n chwerw. Roedden nhw'n sylweddoli eu bod wedi mynd yn rhy bell y tro hwn.

Y noson honno gwnaeth y ddau addewid i roi'r gorau i chwarae triciau. Roedden nhw wedi cael hwyl, ond roedd pethau wedi mynd dros ben llestri. Mi roedden nhw mewn trwbl mawr efo'r ysgol a'u rhieni, ac yn fwy na hynny, roedden nhw wedi siomi eu ffrindiau gorau.

Aethon nhw ati i lunio e-bost at holl staff, rhieni a phlant yr ysgol:

I: staff@melinygrug.co.uk; rhieni@melinygrug.co.uk; disgyblion@melinygrug.co.uk

Ymddiheuriad

Annwyl bawb,

Dyma neges i ymddiheuro o waelod calon am fynd dros ben llestri efo'r triciau.

Dim ond trio cael hwyl oedden ni, ond rydyn ni'n deall ein bod wedi mynd â phethau'n rhy bell.

Gobeithio y gwnewch chi dderbyn yr ymddiheuriad ac y cawn ni anghofio am yr holl beth.

Mae'n wir ddrwg gennym ni,

Wil a Dot

Yn amlwg, roedd eu ffrindiau'n eithaf blin am ychydig ddyddiau, ond doedd neb yn gallu bod yn flin efo'r ddau ddireidus yn hir. Roedd yr e-bost a'r ymddiheuriad wedi plesio, ac felly roedd hi'n hawdd maddau iddyn nhw.

Penderfynodd Wil a Dot dreulio noson arbennig yn ystafell Wil yn edrych yn ôl dros eu holl driciau. Roedd y ddau wedi chwerthin nes oedd eu boliau'n brifo yn rhannu atgofion melys.

"Mi fydd hi'n drist peidio chwarae triciau byth eto, yn bydd, Wil?" meddai Dot yn dawel â lwmp yn ei gwddw.

"Bydd, Dot, ond mae popeth da yn dod i ben rywbryd. Bydd yr atgofion efo ni am byth!"

Gyda hynny gafaelodd y ddau yn dynn yn y llyfr syniadau slei am rai munudau, cyn ei guddio'n saff dan glo mewn bocs pren dan wely Wil.

Pwy a ŵyr am ba hyd fydd y llyfr dan glo …
Pwy a ŵyr pwy fydd y nesaf i gael gafael ar y
llyfr …
Pwy a ŵyr a gaiff y llyfr ei agor fyth eto …
Pwy a ŵyr a wnaiff y llyfr aros dan glo am
byth …